FEMALE

CHRISTOPHER THOMAS

FEMALE

HERAUSGEGEBEN VON · EDITED BY
IRA STEHMANN

DEDICATED TO
IPRAS WOMENFORWOMEN

PRESTEL
MÜNCHEN · LONDON · NEW YORK

ZUR EINFÜHRUNG · INTRODUCTION

IRA STEHMANN

Die vorliegende Publikation präsentiert unter dem Titel *Female* eine Auswahl von 56 Schwarz-Weiß-Arbeiten des international bekannten Fotografen Christopher Thomas. Sie sind in den Jahren 2012 bis 2015 auf drei Reisen nach Indien und Bangladesch entstanden, die wir mit Dr. Constance Neuhann-Lorenz und Prof. h.c. Dr. Marita Eisenmann-Klein sowie ihren Teams aus internationalen *WomenforWomen*-Ärztinnen unternahmen. Christopher Thomas und ich begleiteten deren humanitäre Einsätze, mit dem Ziel, Frauen und Mädchen zu porträtieren und zu interviewen, die Opfer von Verbrennungen und Verätzungen geworden waren.

Den visuellen Auftakt dieser bewegenden Publikation bilden stimmungsvolle Landschaftsbilder aus Bangladesch – im Fluss gelegene Sandbänke und dort ankernde Krankenhausboote, eingetaucht in morgendlichem Nebel. Das Zentrum der fotografischen Arbeit besteht aus mitunter schockierenden und zugleich würdevollen Porträts von Einzelschicksalen. Am Ende begegnen wir den Patienten und ihren Angehörigen erneut inmitten einer bangladeschischen Flusslandschaft, nun im Licht der Abenddämmerung.

Zwei erhellende und informative Beiträge ergänzen den Bildteil. Christopher Thomas analysiert die »fatale Kombination aus Mitgiftzahlungen und Gier«, erzählt, wie er auf die Hilfsorganisation aufmerksam wurde und was ihn auf seinen Reisen besonders ergriffen hat. Dr. Constance Neuhann-Lorenz berichtet, warum sie mit ihrer Kollegin *WomenforWomen* gegründet hat und welche Erfahrungen sie und die beteiligten Ärztinnen während der humanitären Einsätze mit den Opfern machen. Beiden Autoren geht es darum, mehr Menschen über die Gewalttaten an Frauen in Ländern der Dritten Welt zu informieren und durch die Sichtbarmachung und Schilderung individueller Schicksale zum Handeln zu veranlassen. Die Massenproteste in Indien gegen die tödliche Vergewaltigung einer Studentin durch sechs Täter in einem fahrenden Bus vor drei Jahren verdeutlichen die Aktualität des Ansatzes von *WomenforWomen*, nämlich durch eine Schärfung des Bewusstseins die Diskussion über die Gewalt gegen Frauen und die Rolle der Frau in der indischen Gesellschaft zu unterstützen und den damit einhergehenden Wunsch nach gesellschaftlichen Veränderungen in Gang zu setzen.

Christopher Thomas' empathische Sicht, seine Sensibilität und die großartige Lichtführung lassen Bilder entstehen, die – kraftvoll und anrührend zugleich – den Betrachter in ihren Bann ziehen. Dabei zeigen seine Fotografien das unfassbare Leid und die erstaunliche Leidensfähigkeit, aber auch die bewundernswerte Stärke der Betroffenen in würdevoller Weise.

This publication, entitled *Female*, presents a selection of 56 black-and-white works by the internationally renowned photographer Christopher Thomas. They were taken between 2012 and 2015 on three trips to India and Bangladesh that we undertook together with Dr. Constance Neuhann-Lorenz and Prof. h.c. Dr. Marita Eisenmann-Klein and their teams of international, female doctors working for *WomenforWomen*. Christopher Thomas and I accompanied their humanitarian mission with the aim of portraying and interviewing the women and girls who had become the victims of burnings and acid attacks.

Evocative pictures of the countryside in Bangladesh – river sandbanks and hospital boats lying at anchor, bathed in the morning mist – create a visual prelude. The core of this photographic work, however, comprises shocking but dignified portraits of individual fates. Towards the end of the book we encounter the patients and their relatives once again on sandbanks in the Bangladeshi river landscape, this time at twilight.

Two enlightening and informative contributions complement the picture section. Christopher Thomas analyses "the fatal combination of dowry payments and greed", relates how his attention was drawn to the relief organisation and what he found especially moving on his trips. Dr. Constance Neuhann-Lorenz tells of why she and her colleagues founded *WomenforWomen* and the experience she and the other doctors involved have made during their humanitarian work with the victims. For both authors one key issue is to inform more people about the acts of violence against women in Third World countries and, through the visualisation and description of individual fates, to prompt action to be taken. The mass protests in India against the rape and death of a female student by six perpetrators in a moving bus three years ago highlight the immediate relevance of the *WomenforWomen* mission, namely to support the discussion on violence towards women and the role of the woman in Indian society, by increasing people's awareness combined with the wish to instigate social change.

Christopher Thomas' empathic view, his sensitivity and his sublime use of light result in the creation of powerful and simultaneously touching images that captivate the viewer. His photographs reveal the inconceivable suffering and astonishing tenacity, as well as the admirable strength of those afflicted in a dignified manner.

FEMALE

CHRISTOPHER THOMAS

An vielen Orten dieser Welt ist es nicht ratsam, unseren Planeten als Mädchen zu betreten, und später zur Frau zu werden – wenn sie es überhaupt soweit schafft. Unter den vielen und fast überall zu erwartenden Problemen wird die mangelnde Gleichberechtigung am Arbeitsplatz das geringste sein. Das schreckliche andere Ende des Spektrums bedeutet, entweder schon vor der Geburt getötet zu werden oder als Kind beziehungsweise als junge Frau von denen, die einen eigentlich am meisten lieben sollten, lebendig verbrannt zu werden.

Das Thema, auf das dieses Buch aufmerksam machen möchte, ist die fatale Kombination aus Mitgiftzahlungen und Gier – vor allem im südlichen Asien und dort insbesondere in Indien, Pakistan und Bangladesch. Sie basiert auf der Einstellung, dass Frauen minderwertige menschliche Wesen sind.

Die gute Grundidee einer Mitgift liegt ja darin, der Braut eine Form von Sicherheit zu geben sowie der jungen Familie eine kleine Starthilfe zu bieten. Dies war auch in Indien der Fall, bis das Land britische Kolonie wurde. In dieser Zeit, von 1858 bis 1947, ja bis zum heutigen Tag, erfuhr der Subkontinent gravierende soziale und ökonomische Veränderungen. Mit steigendem Lebensstandard entwickelte sich eine materialistischere Weltsicht, und diese beeinflusste auch die Tradition der Mitgift. Wurden der Braut in der Vergangenheit Schmuck oder ähnliche Wertgegenstände in die Ehe mitgegeben, um ihr einen gewissen Status zu sichern, verlor die Jungvermählte nun immer mehr die Kontrolle über ihre Mitgift. Im Lauf der Zeit verwandelte sich diese in direkte Zahlungen an die Familie des Bräutigams. Ursprünglich gedacht, um die Hochzeitszeremonie zu finanzieren, wurde die Mitgift zur lukrativen Einkommensquelle für den frischgebackenen Ehemann und zur oftmals ruinösen Belastung für die Familie der Braut.

Mit steigendem Lebensstandard stiegen auch die Mitgiftforderungen. Aus Geschirr, Kleidung und Haushaltsgegenständen wurden Autos, Geldbeträge und Immobilien. Zudem enden die Forderungen nicht mit der Hochzeit – selbst lange danach werden diese gestellt und sogar erhöht. Wenn die Familie der Braut nicht willens oder in der Lage ist, den Forderungen nachzukommen, wird die Ehefrau, die als Eigentum des Gatten angesehen wird, bedrängt, geschlagen, man lässt sie hungern, sperrt sie ein, versklavt oder foltert sie. Dies hat zur Folge, dass allein in Indien in jeder Stunde vier Frauen Selbstmord begehen.

Die letzte Station in diesem Fahrstuhl zur Hölle ist, dass das Mädchen oder die Frau in einen brennbaren Nylon-Sari gezwungen wird, der, wenn er angezündet wird, schmilzt und an der Haut klebt. Sie wird dann mit Kerosin überschüttet und bei lebendigem Leib verbrannt. Warum diese grauenvolle

In many places in this world, it is not necessarily a good idea to step onto this planet as a girl and become a woman later – if she ever makes it that far. The least of the problems to be faced – and this is still almost everywhere the case – is a lack of equal rights in the workplace. The worst-case scenario is that you will be killed before you see the light of day, or you will be crippled or burned alive as a child or young woman by the person who supposedly loves you most.

The issue this book aims to highlight is the result of a combination of dowry payments and greed – specifically in southern Asia and mainly in India, Pakistan and Bangladesh – based on the fundamental opinion that women are inferior to men.

The basically good intention of dowry is to provide a form of security for the bride and a nest egg for a young family. This was also the case in India until it became a British colony. During that time, from 1858 until 1947, and even more so after this period up to the present day, the subcontinent underwent enormous economical and social changes. With improved living standards, a more materialistic view evolved that also influenced dowry habits. While, in the past, a bride used to be given precious jewellery and other valuables to take into her marriage and secure her a certain status, during the century of British colonisation and afterwards, she began to lose control over her dowry. In the course of that period the bride's family started to pay the groom's family directly, initially to cover wedding expenses, but increasingly as an income for the groom – and this development has become a tremendous burden for a bride's family.

As living standards rose, dowry claims have risen as well. Originally these included crockery, clothes or household equipment, but they have now grown to encompass cars, money and housing. And they don't stop at the wedding: demands often increase long after the event. If the wife's family is not willing or able to meet these demands, the wife – who is considered the husband's property – is harassed, beaten, starved, jailed, enslaved or tortured. As a result, four women per hour commit suicide in India alone.

The last stop on the downward journey in this elevator to hell is being forced into a flammable nylon sari which, when set on fire, liquifies and sticks to the skin, doused with kerosene and burnt alive. Why is this most horrifying way chosen to end a woman's life? Why not stab, shoot or poison her? Because all other causes can be reconstructed as murder. Burning can always be disguised as an accident. An 'exploding stove' is the common explanation.

Prozedur, um das Leben einer Frau zu beenden? Warum nicht Erstechen, Erschießen, Vergiften? Weil all diese Todesursachen als Mord rekonstruiert werden können. Verbrennung hingegen lässt sich immer als Unfall deklarieren. Ein »explodierter Ofen« ist die gängige Erklärung. Danach ist der Weg wieder frei für eine neue Frau und damit zu einem neuen Einkommen.

Natürlich gibt es außer Gier viele weitere Gründe, weshalb Menschen angezündet werden, und auch Männer finden sich unter den Opfern von Kerosin- oder Säureattacken: Ehestreitigkeiten, die außer Kontrolle geraten, Eifersucht, Stolz, Ehrenhändel, Bestrafung für Fehlverhalten oder für verletzte Gefühle. Zudem gibt es andere Möglichkeiten, eine Ehefrau loszuwerden und dies als Unfall zu deklarieren: etwa sie zu ertränken oder Krankenhauspersonal zu bestechen, um sie bei einer Operation sterben zu lassen. Dennoch: Mitgiftverbrennung ist seit Jahrzehnten die am meisten verbreitete Form der Strafe und Tötung. Tendenz steigend.

Im Jahr 2000 gab es 6995 Fälle allein in Indien. 2006 stieg die Zahl auf 7618 und 2012 auf 8233. Dies bedeutet, dass in jeder einzelnen Stunde das Leben einer indischen Frau auf diese schreckliche Weise endet. Soweit die offiziellen Zahlen. Die meisten Fälle werden jedoch nicht gemeldet, und die wirkliche Zahl ist, einigen Quellen zufolge, zehnmal so hoch. Wenn keine Meldung erfolgt, muss auch der oder die Mörder mit keinen Konsequenzen rechnen. In Bangladesch und Pakistan ist die Rate sogar noch höher. Dies zeigt, dass die Ursache für derartige Verbrechen nichts mit Religion zu tun habt, sondern purer Geldgier zugeschrieben werden muss. Um die Tötungen zu verhindern, haben alle drei Länder Gesetze gegen Mitgiftzahlungen eingeführt. In Indien trat der Dowry Prohibition Act, also das Gesetz gegen Mitgift, sogar schon 1961 in Kraft. Da die Mitgift aber eine alte Tradition darstellt, sind alle Bemühungen, dieses Gesetz durchzusetzen, bislang fehlgeschlagen.

Die finanzielle Belastung, die eine Tochter darstellt, fürchten Eltern schon vor der Geburt des Kindes. Um die Zahl der Abtreibungen von Mädchen zu reduzieren, ist es Ärzten verboten, den Eltern das Geschlecht des ungeborenen Kindes mitzuteilen. Dieses Gesetz kann jedoch leicht durch Bestechung des Arztes umgangen werden. Und selbst wenn die Mädchen das Licht der Welt erblicken, bleiben sie ein häufiges Ziel von Mordattacken. Innerhalb der letzten zwanzig Jahre wurden zehn Millionen Mädchen umgebracht.

Vor ein paar Jahren fuhr ich nachts auf der Autobahn und hörte im Radio ein Interview mit einer Plastischen Chirurgin. Sie sprach über ihre Arbeit in unserer reichen, westlichen Gesellschaft und über eine Hilfsorganisation, die sie zusammen mit einer Kollegin gegründet hatte. Deren Aufgabe besteht darin, Frauen zu operieren, die Kerosin- und Säureattacken überlebt haben, die aber dadurch verstümmelt, entstellt und behindert sind. Ziel dieser operativen

Afterwards, the path is clear again to find a new bride and with her a new source of income. Of course, there are many different reasons why people are set on fire and men are subject to kerosene and acid attacks, too. Often there are other reasons than greed, such as matrimonial issues that have spun out of control, jealousy, pride or honour, a punishment for misbehaving or for hurt feelings. There are also different ways of getting rid of a wife that can be disguised as an accident too, like drowning or bribing hospital staff to allow her death during an operation. Dowry burns, however, are the most common form of punishment or death, and on the rise.

In 2000, the number of cases reached 6,995; in 2006, it rose to 7,618; and in 2012, police counted 8,233 cases in India alone. This means that every single hour, the life of a woman in India is terminated in this terrible way.

These are the official figures. Most instances are not reported and the real number is, according to some sources, ten times as high. Obviously, if a case is not reported, the murderers do not have to face the consequences either. In Bangladesh and Pakistan, the per capita figure is even higher. This shows that these crimes are not related to religion but to greed. To prevent these killings, the three countries have passed laws against dowry payments. In India, the dowry prohibition act was, in fact, already in force in 1961. However, since a dowry payment is an ancient tradition, all attempts to implement this law have failed so far.

The financial pressure of having a daughter frightens parents even before the birth of their child. To reduce the abortion of female babies, doctors are forbidden to inform families of the sex of unborn children. This law, however, can easily be bypassed by bribing doctors and, once born, girls are still a target of attacks. Within the last twenty years, ten million girls have been killed.

A couple of years ago, I was driving down a motorway in Germany at night and heard an interview on the radio with a German plastic surgeon. She was talking about her work in our rich, Western society and about an organisation that she and a colleague had founded to operate on women who had survived acid or kerosene attacks, albeit with terrible disfigurations. The group is called *WomenforWomen*, consisting of female doctors only. This international team of plastic surgeons and anaesthetists regularly travels to countries such as India, Pakistan, Bangladesh and Kenya, donating their free time to these unfortunate women.

A little later, at an exhibition opening I held, Dr. Constance Neuhann-Lorenz, whom I had heard on the radio, happened to be there. We spoke about her work; I let her know how impressed I was, offered to join her and her team and was happy that she agreed. On several trips to India and Bangladesh, I was able to witness the fantastic work she performed along with her daughter Dr. Sarah Erbprinzessin von Isenburg, the co-founder of the organisation, Prof. h.c. Dr. Marita Eisenmann-Klein and other doctors from all over the world.

Eingriffe ist, ihnen ein würdigeres und besseres Leben zu ermöglichen. Diese Vereinigung heißt *WomenforWomen* (WfW) und besteht ausschließlich aus Ärztinnen. Regelmäßig reist ein internationales Team aus Plastischen Chirurginnen und Anästhesistinnen in Länder wie Indien, Pakistan, Bangladesch und Kenia, um ihre freie Zeit diesen unglückseligen Frauen zu widmen.

Fast schicksalshaft begegnete ich Dr. Constance Neuhann-Lorenz, die ich im Radio gehört hatte, einige Zeit später auf einer meiner Ausstellungseröffnungen. Wir sprachen über ihre Arbeit, ich sagte ihr, wie beeindruckt ich sei, bot ihr an, sie und ihr Team zu begleiten und war sehr erfreut, dass sie das Angebot annahm. Auf mehreren Reisen nach Indien und Bangladesch wurde ich Zeuge ihrer phantastischen Arbeit, die sie zusammen mit ihrer Tochter, Dr. Sarah Erbprinzessin von Isenburg, ihrer Gründungskollegin Prof. h.c. Dr. Marita Eisenmann-Klein und den Ärztinnen aus der ganzen Welt leistet.

Ich sah auch die Folgen der schrecklichsten Verletzungen, die ein Mensch dem anderen antun kann. Jeder, der sich schon einmal den Finger verbrannt hat, weiß, wie so eine kleine Wunde schmerzt. Schier unmöglich, sich den Schmerz vorzustellen, wenn die gesamte Brust, Rücken, Gesicht, Hals, Augen, Lippen und Ohren von Flammen oder Säure weggefressen werden. Und wie die folgenden Wochen, Monate und Jahre für jene sein müssen, die – ich bin versucht zu sagen: unglücklicherweise – diesen Angriff überlebt haben!

Wie soll ein kleines Mädchen mit nichts mehr als rohem Fleisch auf ihrem gesamten Rücken oder eine schöne junge Frau, deren gesamtes Gesicht durch die Säure verflüssigt wurde, dies physisch und psychisch ertragen? Wie isst, schläft, atmet, schluckt, überlebt man nach so einem Anschlag? Wie kann der Angehörige, der diese Tat begangen hat, mit einer solchen Schuld leben? Wie enorm muss die Verzweiflung einer jungen Frau sein, wenn sie dazu führt, sich selbst zu verbrennen (was auch passiert)? Wie in aller Welt ist es Eltern möglich, ihrem kleinen Mädchen so etwas anzutun? Diese Fragen können nicht beantwortet werden.

Menschen taten und tun sich gegenseitig die schrecklichsten Dinge an. Aus verschiedensten Motiven – seien sie emotional, politisch, territorial, aus Gier oder pervertierten religiösen Gründen, in organisierter Form wie Krieg oder als Resultat eines kranken Hirns. Auf manche dieser Vorfälle (Mord zum Beispiel) kann die Gesellschaft nur im Nachhinein reagieren, weil sie unvorhersehbar waren. In anderen Fällen kämpft die Gemeinschaft dagegen an und schafft es vielleicht schließlich, Systeme wie Diktaturen oder andere terroristische Regime zu eliminieren oder zu ändern.

Wenn also so etwas Furchtbares geschieht wie der Missbrauch der Mitgift und der damit einhergehende Terror sich über Jahrzehnte erstreckt, ist es da nicht allerhöchste Zeit zu reagieren? Aber wie? Durch strikteres Durchsetzen von Gesetzen? Vielleicht. Dies allein ist allerdings unrealistisch in einem Land wie Pakistan, wo behauptet wird, dass Mitgiftzahlungen ein fundamentaler Teil der Religion seien. Das Problem muss definitiv an seinen Wurzeln

I also saw the aftermath of the most horrifying injuries one person can inflict on another.

Everybody who has experienced a little burn on a finger at one time or other knows how much and for how long it can hurt. It is utterly impossible to imagine how immense the pain must be if one's whole chest, back, face, neck, eyes, lips and ears are eaten away by acid or flames; how the following weeks, months and years must be, if one – and I am tempted to say unfortunately – survives such an ordeal; or how a little girl with nothing but her flesh on her back or a beautiful young woman whose whole face has been liquified can physically bear it.

How do you eat, sleep, breathe, swallow, survive this torment? How can the relative who did this live with the guilt? How enormous must be the despair of a young woman to choose such a terrible way to commit suicide (which also happens)? How in the world can parents ever do this to their little girl? These questions cannot be answered.

People have done and are doing terrible things to each other out of all kinds of motives, be it emotional, political, territorial; from greed or perverted religious reasons; or in an organised way, as in war, or as the result of a single sick mind. To some of these incidents (murder, for example), society can only react afterwards, because it was unforeseen. In other cases, the world carries on fighting and perhaps eliminates or changes systems such as dictatorships or terrorist regimes.

If the misuse of dowries and the accompanying terror has been spreading for such a long time – over decades – and on such a huge scale, isn't it high time to react? But how? A stricter enforcement of the law? Maybe. But this is inconceivable in a country like Pakistan, where it is claimed that dowry payments are an integral part of religion. The problem must be addressed at its roots. It is not the dowry but the question of respect towards women, to see and understand that every human being in the world is born free and equal in dignity and rights. This can only be achieved by education. Education first, as Malala Yousafzai repeated so impressively in her speech to the United Nations.

I think a solution is to be found in ensuring equal education to encourage greater self-confidence in girls and women, as well as strictly enforcing existing laws and making these terrible circumstances public.

May this book be seen as one little stepping stone along this path.

---

angegangen werden. Es geht dann nicht mehr nur um Mitgift, sondern um den Respekt gegenüber Frauen. Zu sehen, zu verstehen und zu verinnerlichen, dass jedes menschliche Wesen frei geboren wird und gleich ist in puncto Würde und Recht. Diese Einsicht kann nur durch Bildung erlangt werden. »Education first«, wie die junge Malala Yousafzai 2013 in ihrer eindrucksvollen Rede vor den Vereinten Nationen wiederholt betont hat. Ich denke, eine Lösung kann gefunden werden, wenn Mädchen zum einen die gleiche Erziehung wie Jungen erhalten, sie somit mehr Unabhängigkeit und Selbständigkeit erlangen können, zum anderen aber die bestehenden Gesetze durchgesetzt, die Täter verfolgt und bestraft werden und zum dritten diese schrecklichen Verbrechen als solche ins allgemeine gesellschaftliche Bewusstsein gehoben werden.

Möge dieses Buch als Pflasterstein auf diesem Weg dienen.

———

Die Bilder in diesem Buch wurden in Indien und Bangladesch im Zeitraum von 2012 bis 2015 aufgenommen.

Der Ort, den ich am eindrucksvollsten empfunden habe, befand sich auf unserer letzten Reise nach Bangladesch. Die Ärztinnen von *WomenforWomen* waren zu Gast auf einem von drei Booten der Organisation *Friendship*, einer Organisation, die von Runa Khan und ihrem französischen Ehemann, Yves Marre, mit dem Ziel gegründet wurde, einigen der Ärmsten des Landes – den sogenannten char dwellers – Bildung und medizinische Versorgung zuteil werden zu lassen. Diese Menschen leben als Fischer und Landwirte auf riesigen Sandbänken – den »chars« –, inmitten des noch riesigeren, zum Teil 14 km breiten Flusses Jamuna. Diese Sandbänke werden jährlich überschwemmt, was für die Bewohner bedeutet, dass sie ihre Häuser jedes Jahr neu aufbauen müssen. Da die Wasserstände und die Form der Sandbänke sich ständig ändern, ist die Idee von *Friendship*, die Krankenhäuser schwimmend und somit flexibel lagern zu können, genial.

Was mich enorm beeindruckt hat, war die Hingabe und Demut, mit der die dortigen Menschen ihr Schicksal annehmen. Wie sie Angehörige über scheinbar endlose Weiten auf ihrem Rücken tragen und mit welcher Geduld sie vor der Brücke zum Hospitalschiff warten, nie wissend, ob sie überhaupt an die Reihe kommen. Aber noch viel beeindruckender empfand ich die Stärke und Würde jener Frauen, die erkennbar Opfer von entstellenden Attacken geworden waren.

Möge die Arbeit von *WomenforWomen*, *Friendship* und all den anderen Hilfsorganisationen, deren Mitarbeiter ihre Zeit oder gar ihr gesamtes Leben der Linderung des Leidens ihrer Mitmenschen widmen, möglichst viel Beachtung finden und ein Vorbild für andere sein.

The images in this book were taken in India and Bangladesh between 2012 and 2015.

The location I found the most intriguing was on our last trip to Bangladesh. The *WomenforWomen* doctors were guests on one of the three boats owned by *Friendship*, an organisation founded by Runa Khan and her French husband, Yves Marre, with the intention of bringing medical care and education to some of the poorest and most isolated people in Bangladesh – the so called 'char dwellers.' These people are mostly fishermen and their families living on chars – huge sandbanks in the river Jamuna that are several kilometers wide. These chars are flooded annually, which means that the inhabitants have to rebuild their homes every single year. Since waterlevels and the shape of the sandbanks are constantly changing the idea of *Friendship* was to use the ships as hospitals to be flexible.

What impressed me was the humbleness with which people bear their fate, how they carry relatives on their backs over seemingly endless distances and how patiently they wait outside hospitals, never knowing if they will be given any treatment at all. What was even more impressive to see was the strength and dignity of the women who were victims of attacks.

May the work of *WomenforWomen*, *Friendship*, other organisations and private people who devote their time and money to relieving the suffering of fellow human beings continue to flourish and be an example for others.

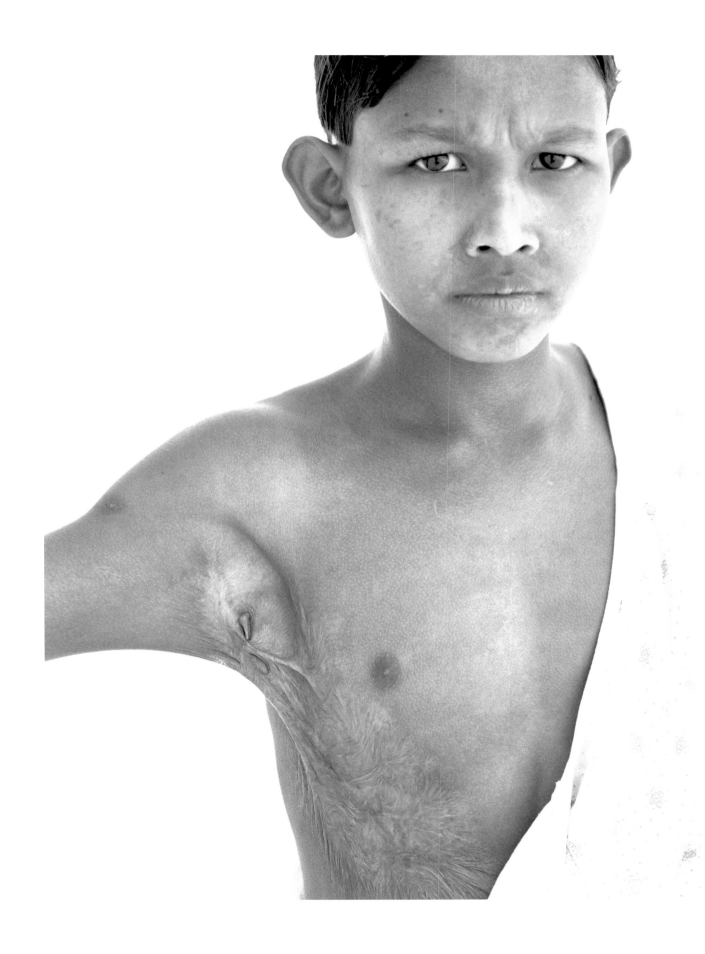

NEHA

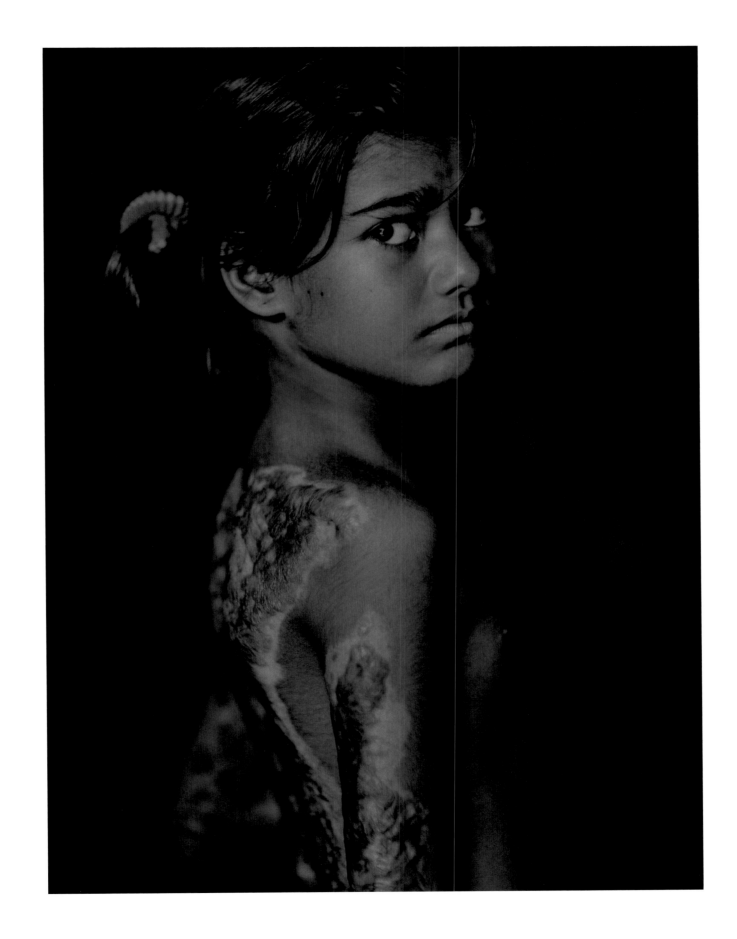

NEHA

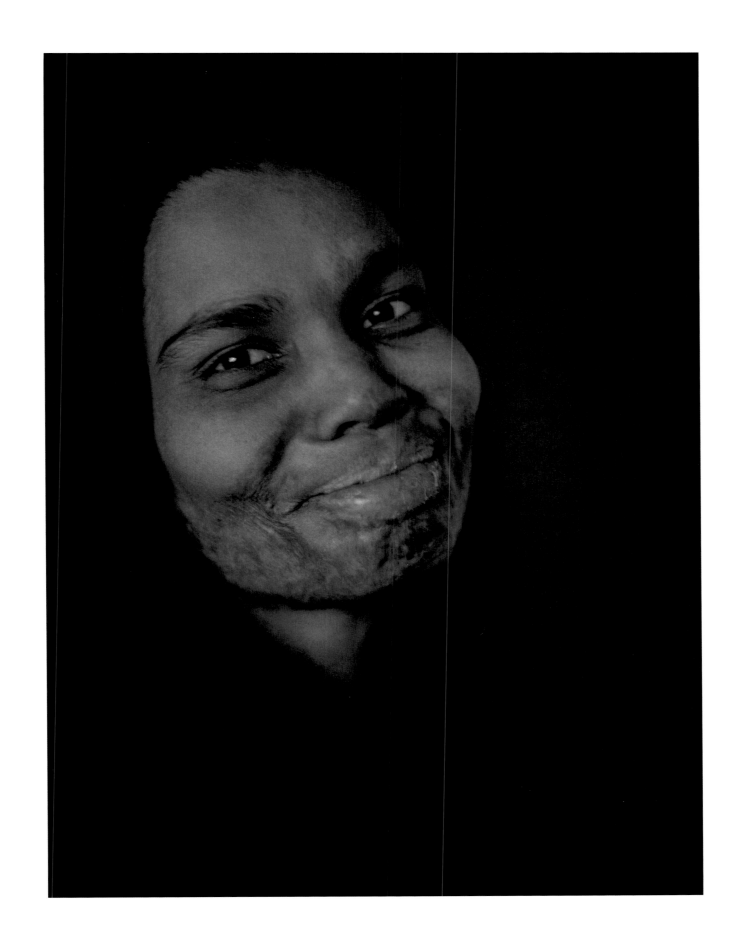

REYSHMA

SUNITA

VANITA

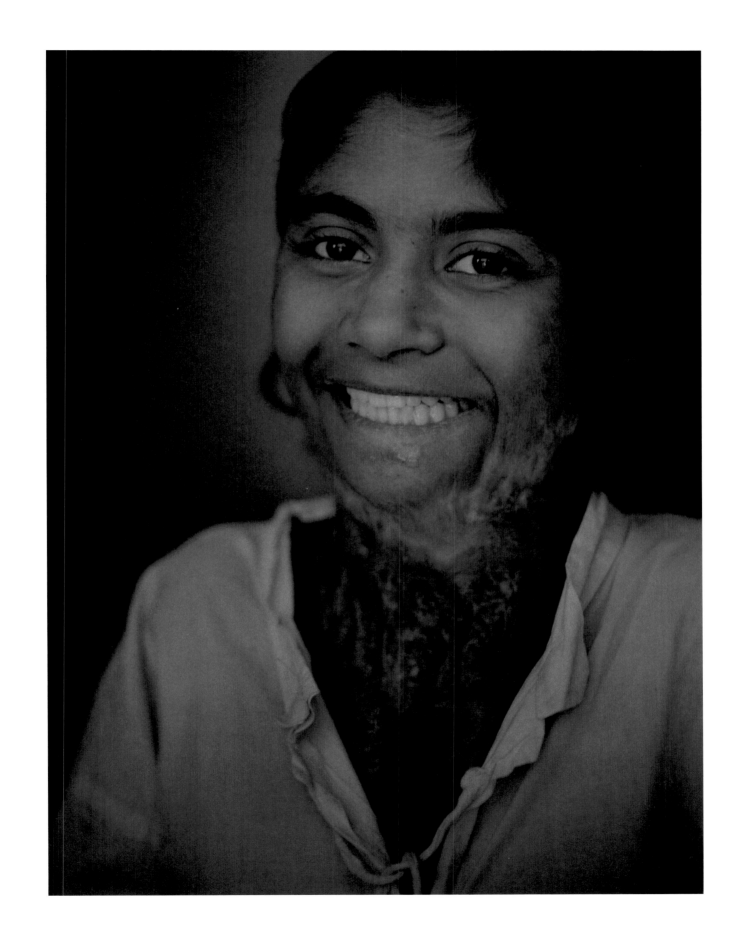

KAJAL

LALITA

LALITA

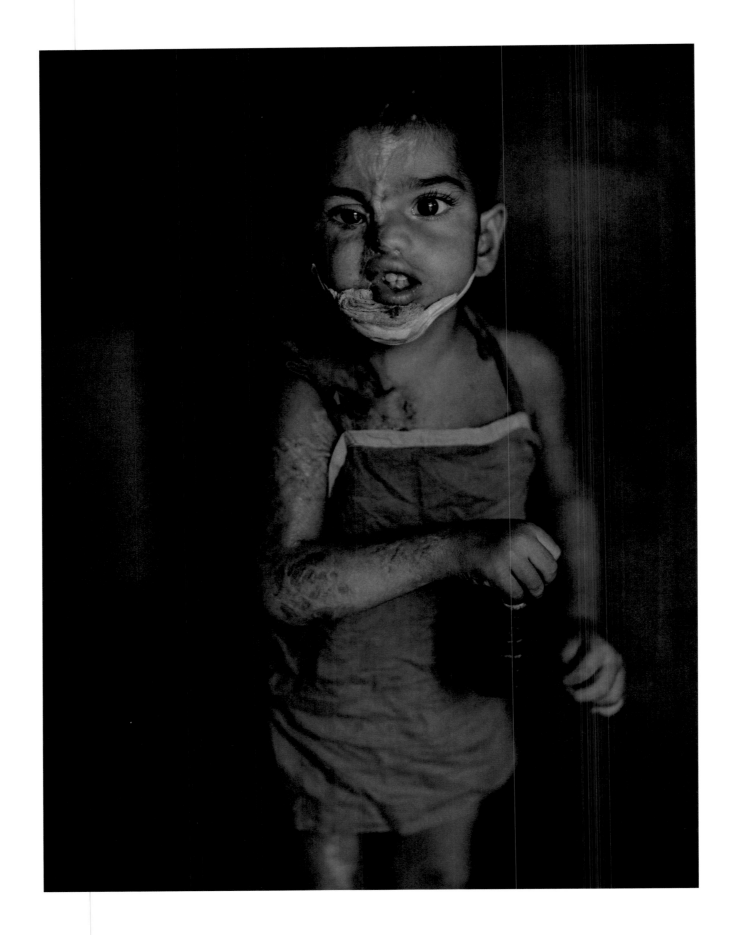

TANWIN

SHANTI

FARIDABEE

ROHINI

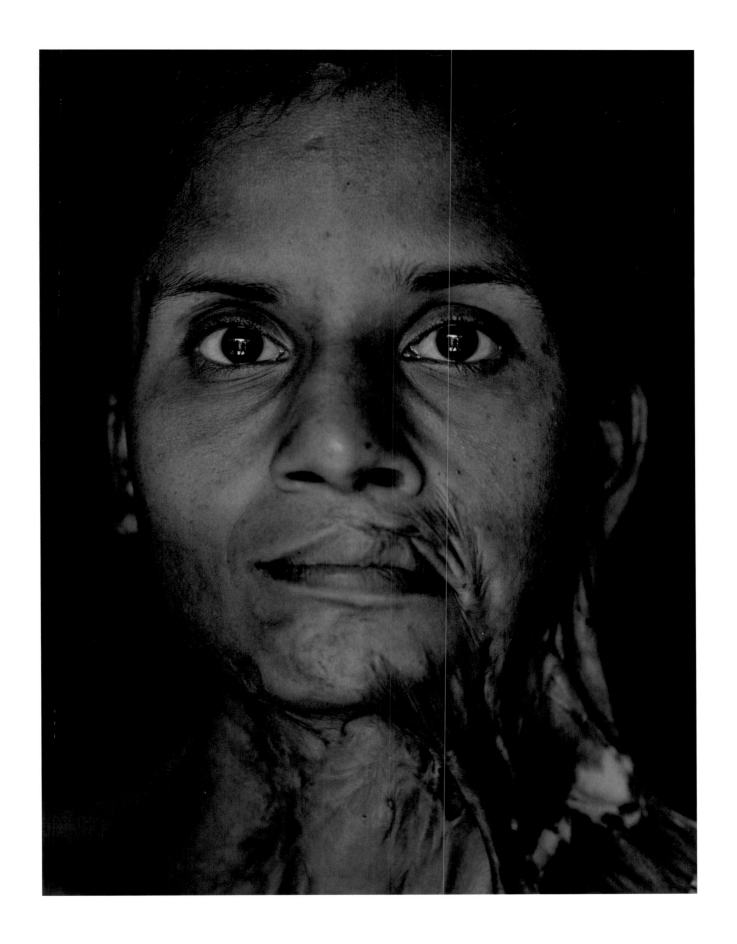

JYOTI

KANIKA

SHOBHA

SHOBHA

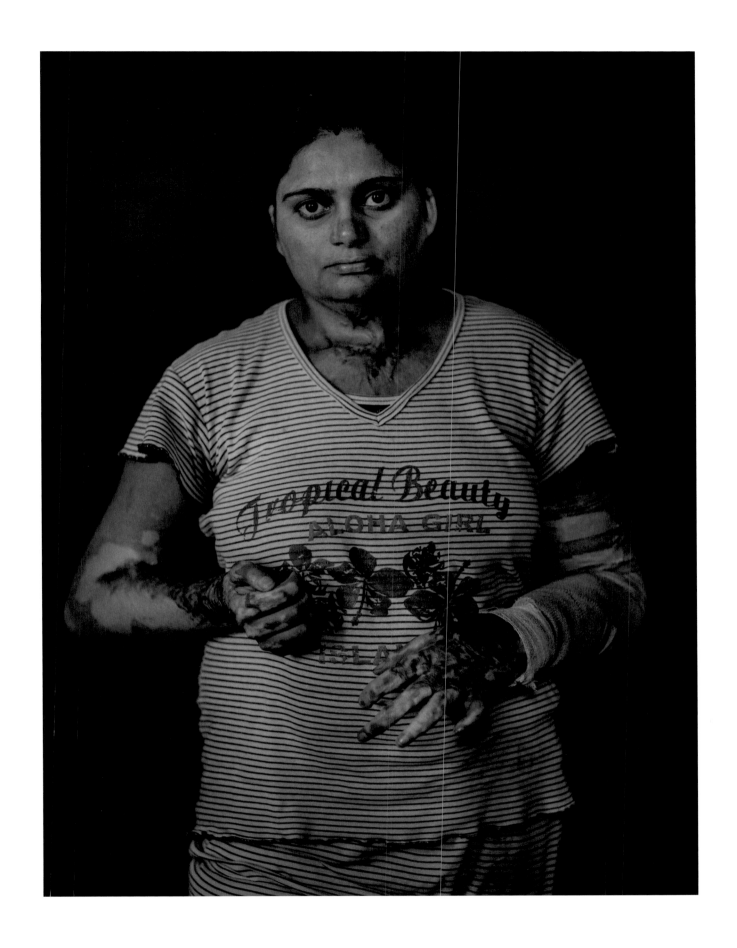

KAVITA

PADMA

ROSZINA

Ein Mädchen, eine junge Frau – ein zartes Wesen –, fast unhörbar kommt sie mit kleinen Schritten, gefolgt von ihrer Mutter, in den Untersuchungsraum des Krankenhausboots. Eine dunkle Haarwelle lugt hinter dem ihr Gesicht bedeckenden Tuch hervor. Sie sagt keinen Ton, nimmt nur das Tuch ab, und was sich dahinter verbirgt, zeigt ein Gesicht, das keines mehr ist, zeigt verschreckte dunkle Pupillen, die unser Erstarren widerspiegeln, die unser Entsetzen erkennen können.

Kein Mund – nur eine wenige Millimeter große Öffnung, keine Nase, das rechte Auge triefend und das Unterlid entzündlich, bar jeder normalen Gesichtshaut. Wie kann man so überleben, wie trinken und sich ernähren? Sie kann nicht sprechen, nur ihre verschreckten, hilfesuchenden Augen starren uns an. Sie ist 16.

Was ist mit ihr geschehen?
Die Mutter sagt, sie sei als Kleinkind ins Feuer gefallen. Unmöglich. Der Körper, die Hände unversehrt, und nie hätte sie bis zu diesem Alter überlebt. Die Mutter verändert die Geschichte: Sie sei vor zwei Jahren in einem epileptischen Anfall ins Feuer gefallen. Auch unmöglich. Ganz klar ist dies eine typische, mutwillige Säureverätzung des Gesichts – eine Bestrafung des Ehemanns für Unwilligkeit oder eine Entstellung nach erfolgter Vergewaltigung.

Wir sind in der Lage, ihren Mund zu öffnen. Wir finden normale Zähne und viele kleine Hölzchen und Blätter, die sie sich durch die minimale Öffnung eingeführt hat, um zu überleben. Sie bekommt eine neue Unterlippe, ein neues Unterlid. Mehr schaffen wir nicht in dieser ersten Operation. Am nächsten Tag macht sie ihren Mund auf und kaut und trinkt – der erste kleine Schritt zurück ins Leben ist geschafft.

Inge Haselsteiner, Ärztin bei *WomenforWomen*

A girl, a young woman – a delicate creature – comes into the examining room of the floating hospital, almost noiselessly, taking small steps, followed by her mother. A strand of dark hair peaks out from underneath the scarf covering her head. She says nothing, just takes off the scarf … What is underneath it is a face that is no longer a face and terrified dark pupils that reflect our own shock, that recognise our outrage.

No mouth – just an opening a few millimetres in size; no nose; the right eye is dripping and the lower eyelid is infected. There is no normal facial skin at all. How can someone survive like this? How can they drink and feed themselves? She cannot speak; she only stares at us with her horrified, help-seeking eyes. She is sixteen.

What had happened?
The mother says she fell into the fire as a small child. Impossible. Her body and hands are undamaged and she would never have survived to this age. The mother changes the story – she says the girl fell into the fire two years ago during an epileptic fit. Also impossible. It's quite clear that this is a typical, deliberate acid attack on the face – a husband's punishment for his wife's unwillingness, or a maiming, following a rape.

We are able to open her mouth. We find normal teeth and lots of little bits of wood and leaves which she has put through the tiny opening in her attempt to survive. She is given a new lower lip, a new lower eyelid. That is all we can do in the first operation. The next day, she opens her mouth and chews and drinks – the first small step back to a normal life.

Inge Haselsteiner, doctor for *WomenforWomen*

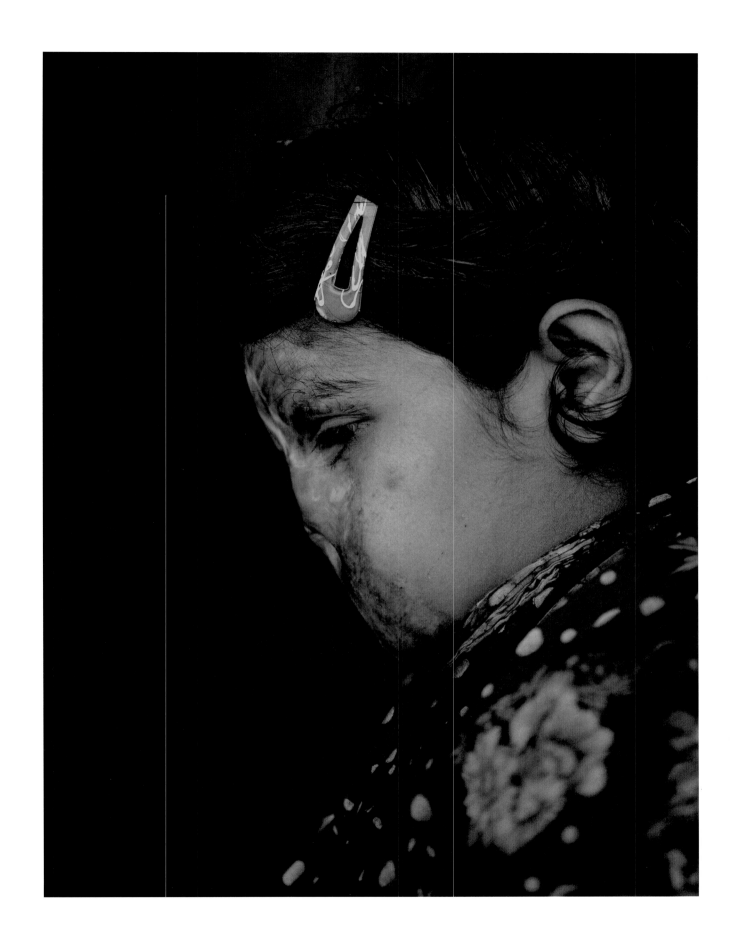

ROSZINA

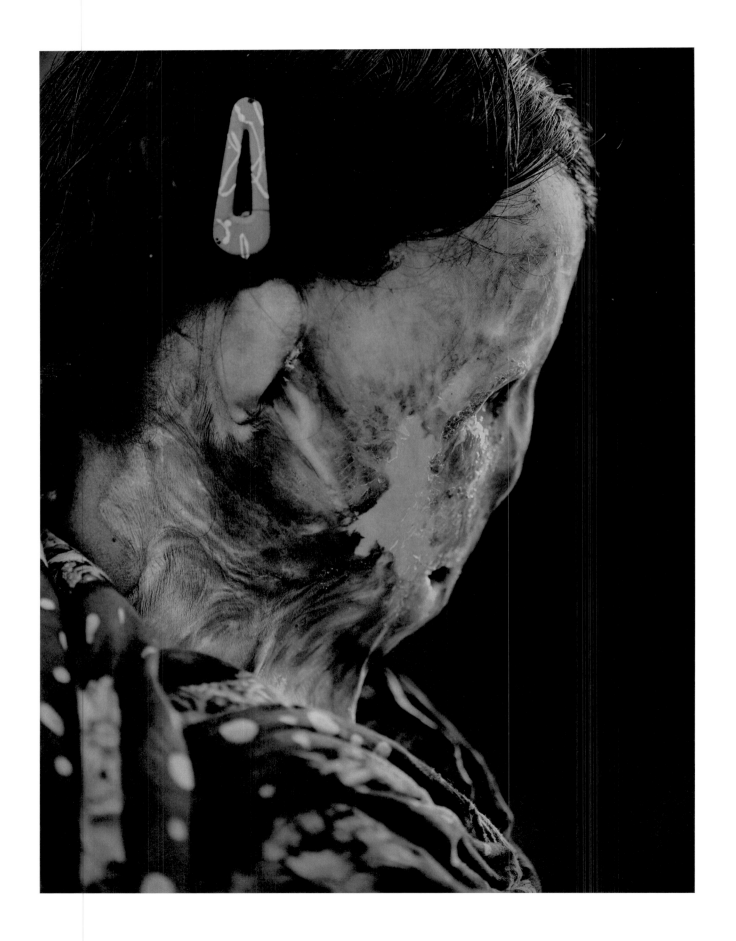

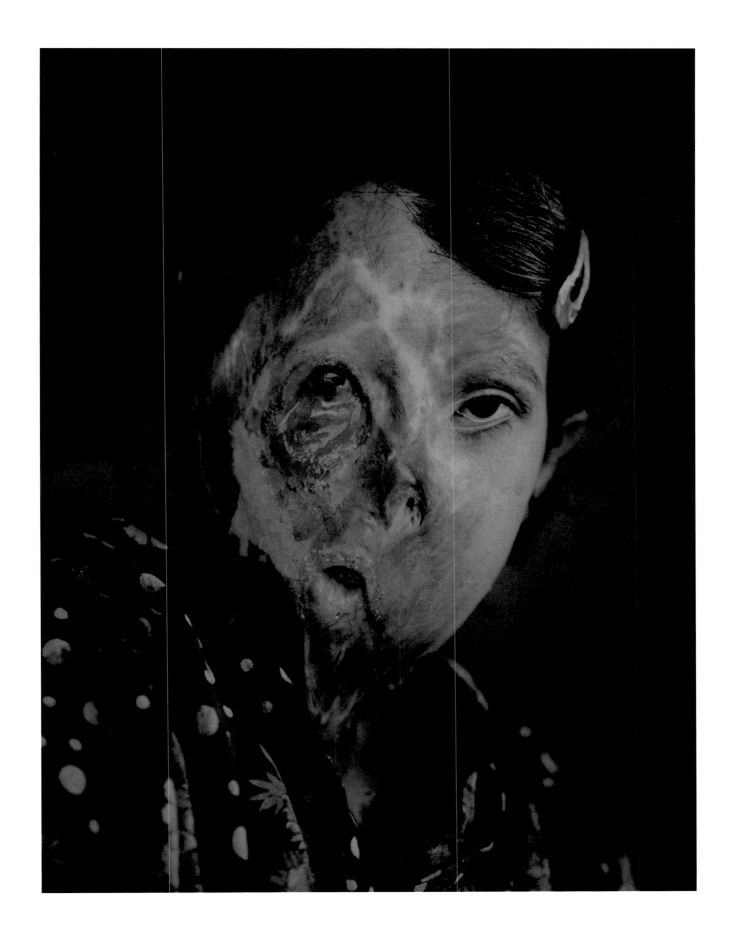

ROSZINA

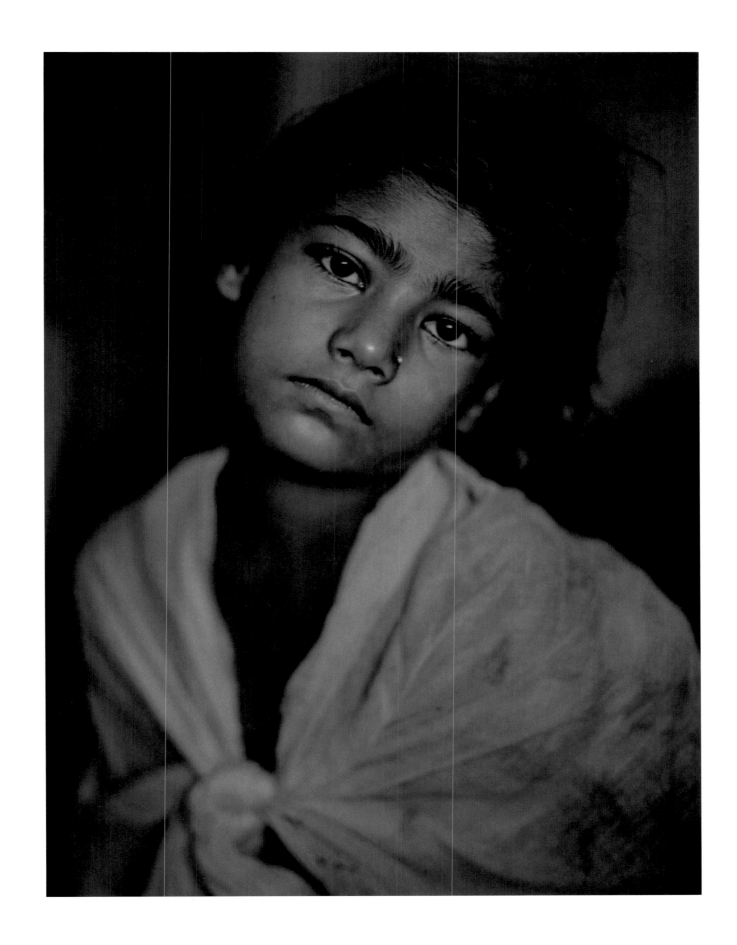

NEHA

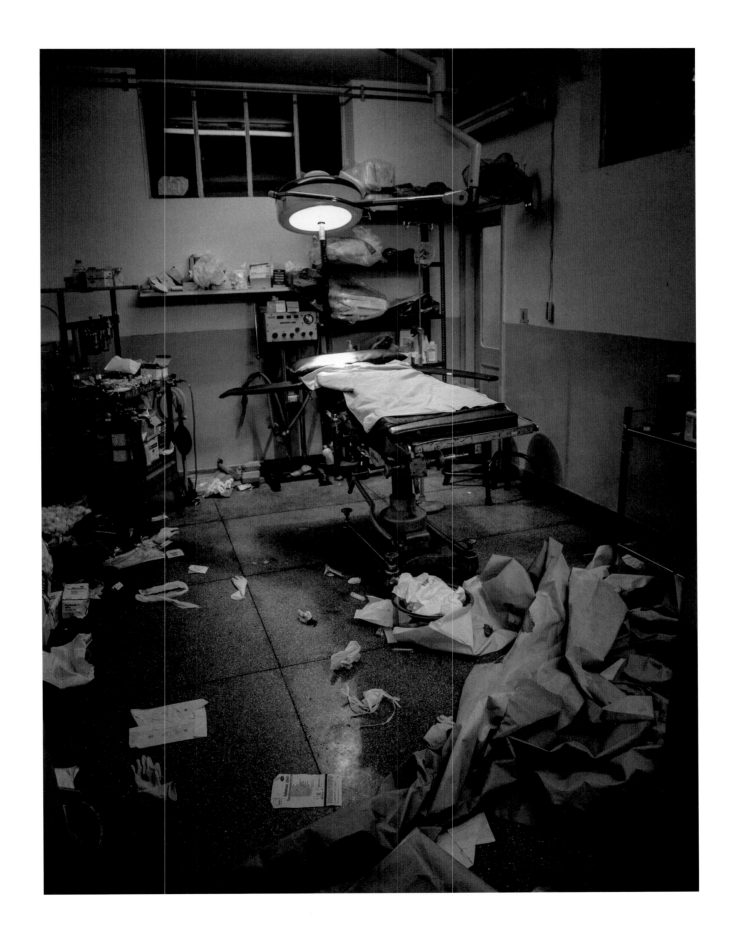

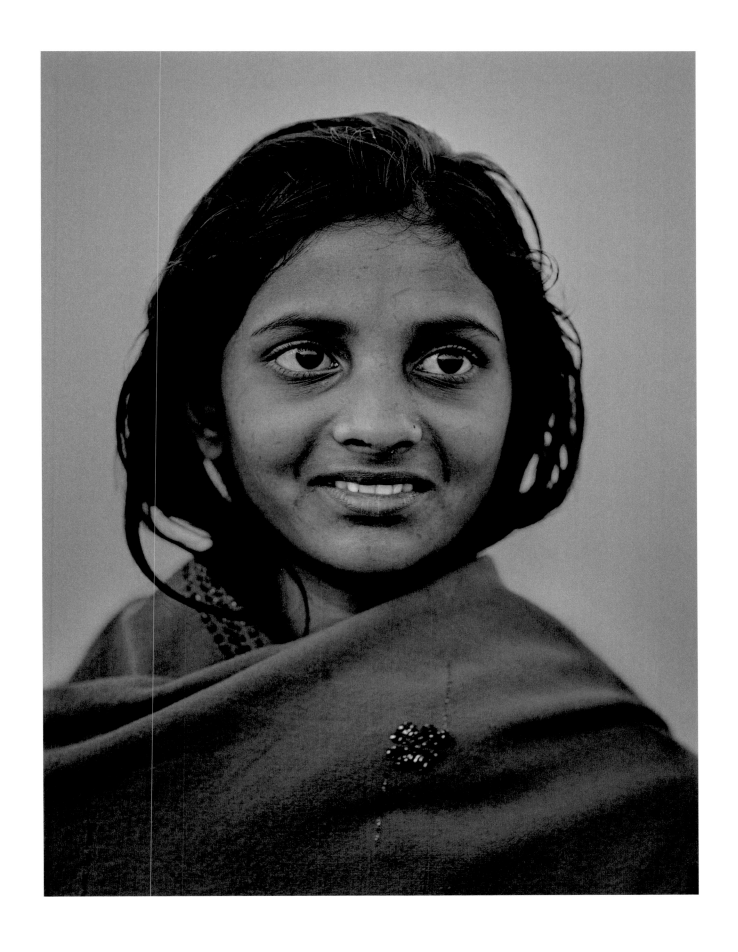

WOMEN FOR WOMEN

CONSTANCE NEUHANN-LORENZ

Mein ganzes Leben lang bin ich leidenschaftlich gerne und viel gereist. Ich war immer fasziniert davon, andere Menschen mit ihren verschiedensten Sprachen, den fremdländischen Kulturen und den so unterschiedlichen Lebensweisen kennenzulernen und zu erleben. Dabei übte der indische Subkontinent, vom Himalaya im Norden bis zum tropischen Süden, besondere Anziehungskraft auf mich aus. Bei meinen ersten Reisen nach Indien, damals noch als Studentin mit Rucksack und Low-Budget, war ich überwältigt von den magischen Orten wie Delhi, Udaipur, Jaipur, Mumbai, dem Taj Mahal oder dem Goldenen Tempel von Amritsar. Märchenhaft die flirrenden Wüstenregionen oder die von Palmen gesäumten Strände und Flussläufe von Kerala. Und über allem der Duft von indischen Gewürzen wie Kardamon, Zimt und Koriander. Kein Wunder, dass ich mich in die unglaublichen kulturellen Schätze und die strahlenden Farben des Landes verliebte. Die Grazie und Würde der indischen Frauen in ihren wunderschönen Saris, die sie sogar in den einsamsten und ärmsten Regionen tragen, und die exotischen Landschaften begeistern mich bis heute.

Im Lauf der Jahre allerdings bekam mein Traumbild von Indien einen Sprung. Ich entdeckte die andere Wahrheit: das alltägliche indische Leben, in dem Frauen eine untergeordnete Rolle spielen und fast stündlich Opfer häuslicher Gewalt werden. Es erschütterte mich zutiefst, als ich zum ersten Mal von den sogenannten dowry und in-law burns erfuhr, also Mitgiftverbrennungen und Verbrennungen durch Angehörige der Schwiegerfamilie – tatsächlich ein terminus technicus, der zumindest in Indien und Bangladesch vertraut ist: das Anzünden der Braut oder der Ehefrau wegen zu geringer Mitgiftzahlungen durch die Familie der Frau.

Wie kann man sich solche Grausamkeit erklären? Wenn die Mitgiftzahlungen nicht den Erwartungen des Ehemanns und der Schwiegerfamilie entsprechen, wird die Braut zur finanziellen Belastung für die Familie, in die sie eingeheiratet hat. Der tödliche Ausweg: Der Ehemann, ja sogar seine Mutter, wollen auf diese mörderische Weise den Weg frei machen für eine erneute und profitablere Hochzeit mit einer weiteren und womöglich höheren Mitgiftzahlung. Eine verbreitete Methode, sich der armen Frau zu entledigen, besteht darin, sie mit Kerosin zu überschütten und anzuzünden. Diese Art des Mordanschlags ist – horribile dictu – üblich, da in indischen Haushalten auf Kerosinherden gekocht wird und die grausame Tat nach außen hin als Unfall getarnt werden kann. Viele dieser Opfer sterben, wie beabsichtigt, aber manche überleben.

All my life I've loved travelling around the world. Getting to know people of various races with their many languages, different cultures and ways of living has inspired me. The Indian subcontinent has especially fuelled my desire to visit this country as often as I could.

During my first visit as a student, travelling with a backpack and little money, I was bursting with curiosity and excitement. All those magic places attracted me: Delhi, Udaipur, Jaipur, Mumbai, the Taj Mahal, the Golden Temple of Amritsar, to name a few. Equally fascinating were the deserts as well as the palm tree landscapes of Kerala, filled with the scent of Indian spices: cardamom, cinnamon and coriander. I fell in love with it all, including the incredible cultural treasures and the bold colours. The elegance and dignity of Indian women in their beautiful saris, in even the most remote or poor parts of this exotic landscape, thrilled me.

But over the years my Indian dream started to crack. I discovered other realities in everyday Indian life and the role Indian women play in society. It struck me how domestic violence seemed a familiar part of their daily existence, escalating in so-called 'dowry or in-law burns' (a veritable technical term used widely, at least in India and Bangladesh).

Why 'in-law burns'? The main reason is a dowry payment below the expectations of a husband or his family, in which case the bride becomes a financial burden to her new family. Often the husbands or even their mothers want to make way for a new, more profitable marriage with higher dowry payments. In order to rid themselves of the poor women, a popular measure is pouring kerosene over her and setting her on fire. This horrifyingly common way of homicide is unbelievably inhumane and can be easily disguised as a domestic accident since kerosene stoves are used in most Indian homes.

Many of the victims die – which ultimately is the goal – but some survive. These survivors are the women we see during our missions. They are usually terribly disfigured by contracted scars that cripple them to the extent that they cannot move their joints, use their hands or lift their heads anymore. Some of them are locked in their own skin by a shield of scars and can barely walk, feed themselves or perform even basic personal hygiene, putting them in an extremely humiliating position.

Das sind die Frauen, die wir bei unseren Einsätzen sehen: entsetzlich entstellte Wesen, mehr tot als lebendig. Die Narbenkontrakturen verstümmeln sie so ausgeprägt, dass sie ihre Gelenke nicht mehr bewegen, ihre Hände nicht mehr benutzen oder nicht einmal ihren Kopf hochheben können. Manche der Überlebenden sind durch Narbenplatten sozusagen in ihrem eigenen Hautmantel eingesperrt und damit nicht mehr fähig zu gehen, selbständig zu essen oder ihre persönlichen Hygieneverrichtungen durchzuführen.

Für die Opfer entsteht dadurch eine auch psychisch ungeheuer erniedrigende Situation. Wie man sich leicht vorstellen kann, stürzt eine Entstellung im Gesicht durch Brandnarben eine zuvor schöne Frau, die nun plötzlich erschreckend aussieht, in tiefste Verzweiflung. Statt die Verursacher, etwa den Ehemann oder die Schwiegermutter, anzuzeigen, halten diese Frauen oft still. Sie schämen sich für ihren Zustand und dass sie verbrannt werden sollten so sehr, dass sie als Grund für ihre Verletzung stereotyp angeben: »Der Herd ist explodiert.«

Im Januar 2012 berichtete die *Times of India* auf der Titelseite, dass allein in Indien pro Stunde eine Frau Opfer einer Mitgiftverbrennung wird!

Mein erster Gedanke: Diesen armen Frauen müssen wir helfen. Als nun die IPRAS, die Internationale Vereinigung für Plastische, Ästhetische und Rekonstruktive Chirurgie, beschloss, ein eigenes humanitäres Projekt zu gründen, schlugen meine Freundin Marita Eisenmann-Klein und ich vor, ein einzigartiges, völlig neues Hilfsprojekt zusätzlich zu den schon existierenden humanitären Programmen der Plastischen Chirurgie zu gründen. Die Idee: Bedürftige Frauen in Entwicklungsländern sollten plastisch-chirurgische Behandlungen durch weibliche Chirurgen erhalten.

Viele Frauen in diesen Ländern haben ja wegen Armut, soziokultureller, religiöser oder finanzieller Ursachen weniger Zugang zu spezialisierter chirurgischer Hilfe als ihre Männer. Dies bestätigte sich häufig bei unseren Einsätzen, bei denen wir erleben, dass Frauen sich zurückhalten zugunsten ihrer Männer und Kinder, um erst als Letzte sich selbst behandeln zu lassen. Ihr eigenes Leben und ihre eigene Gesundheit erachten sie als geringer, da Männer als die Ernährer der Familie und die Kinder als deren Zukunft gesehen werden. Berichte der WHO (World Health Organization) zeigen diese Geschlechterverteilung zu Ungunsten der Frauen bei chirurgischen Hilfseinsätzen ganz eindeutig.

Wenn wir also als Chirurginnen plastisch-chirurgische Versorgung für Frauen anbieten, wollen wir durch diese Schwerpunktsetzung das Ungleichgewicht gezielt überwinden. Sehr schnell nach der Gründung von IPRAS *WomenforWomen* zeigte sich, wie sinnvoll es war, das Projekt auf Frauen zu fokussieren. Die IPRAS-Delegierten aus Ländern wie Pakistan, Indien und Bangladesch bestätigten offen Morde in ihren Ländern in Verbindung mit Mitgift, die Verbrennungsattacken durch die angeheirateten Familien der Frauen, die immens hohen Zahlen von Säureangriffen auf weibliche Opfer und andere grauenvolle Gewalttaten speziell auf Frauen, wie z. B. in Pakistan das Abschneiden der Nase aus Eifersucht.

Disfigurement of the face by burn scars leaving beautiful women with a horrifying facial appearance causes the highest level of despair. But instead of accusing their husbands or mothers in-law, these women often remain silent. They feel ashamed of their condition and stereotypically state that a 'stove exploded' as the reason for their injury. In January 2012 the *Times of India* reported that in India, every hour, a woman is a victim of such forbidden 'dowry burns'.

My first idea was: we have to help these poor women. But how?

In 2007, when IPRAS, the International Confederation for Plastic, Aesthetic and Reconstructive Surgery agreed to set up an own humanitarian programme, my colleague and friend Marita Eisenmann-Klein and I suggested that this should be a unique project in plastic surgical humanitarian efforts. We wanted to offer surgical assistance from female plastic surgeons to help women in need in developing countries. Many women in these countries have less access to specialised surgical treatment, due to poverty, socio-cultural and religious reasons than men. This is often confirmed during our surgical camps, when women usually step back, in favour of men and children and present themselves last. They value their own lives less, since men are regarded as the ones who support the families financially and children are their future. Reports conducted by the World Health Organisation clearly acknowledge this patient gender distribution for surgical humanitarian missions. By offering surgical treatment to women by women, we aim to overcome this prejudice and point our emphasis on women. After the foundation of *WomenforWomen* was established, the need for focusing on this peer-group became even more evident. IPRAS National Delegates from countries like Pakistan, India and Bangladesh and representatives of other humanitarian plastic surgical organisations, openly confirmed the facts about dowry related homicides, 'in-law burns' and the immense number of acid attacks on female victims and other atrocious assaults on women such as cutting off their noses by jealousy driven men.

Our colleagues certainly are and always have been well aware of the immense numbers of untreated and disfigured women in their countries, but *WomenforWomen* raised attention to this injustice. Plastic surgeons especially in India are perfectly well trained – India being historically one of the cradles of plastic surgery. But it is also true that the national health systems in these countries do not have sufficient capacity to cope with the enormous number of patients.

Unseren Kollegen aus diesen Ländern war also schon immer die große Anzahl an unbehandelten und entstellten Frauen bewusst, aber *WomenforWomen* hat die Aufmerksamkeit auf dieses Unrecht enorm gesteigert. Die Plastischen Chirurgen, gerade in Indien, sind hervorragend ausgebildet – historisch ist Indien ja eine der Wiegen der Plastischen Chirurgie. Aber wahr ist auch, dass das Gesundheitssystem in diesen Ländern nicht ausreicht, um die riesigen Patientenzahlen zu bewältigen.

Unsere ersten humanitären Einsätze in entlegenen Regionen Indiens waren abenteuerlich. Nicht vorhersehbare Umstände, wie stundenlange Jeepfahrten auf unbefestigten Straßen oder Flüge mit kleinen Wasserflugzeugen, brachten uns manchmal zur Verzweiflung. Aber nur so waren die Krankenhäuser erreichbar, die uns gebeten hatten, ihre Patientinnen zu operieren. Auch die technischen Einrichtungen, die wir in diesen kleinen örtlichen Kliniken vorfanden, waren teilweise weiter als vorstellbar entfernt von denen, an die wir hier gewöhnt sind. Dazu noch die extremen klimatischen Situationen: glühende Hitze oder unerträgliche Kälte. Einmal mussten wir in noch nassen Operationskitteln arbeiten, weil es zu kalt war, um diese, wie dort üblich, an der Luft trocknen zu lassen. Ein anderes Mal schwankte eine Bootsklinik durch den starken Wellengang im Golf von Bengalen tagelang so heftig, dass wir an unsere Grenzen kamen.

Da wir uns verpflichtet haben, die Spenden für *WomenforWomen* ausschließlich direkt für unsere Patienten aufzuwenden, verbrauchte der logistische und organisatorische Teil (das betrifft die medizinischen technischen Geräte und Materialien bis hin zu den Sicherheitsvorkehrungen für unsere Teammitglieder) auch einen großen Einsatz privater Zeit und Mittel – vor allem in den ersten Jahren. Mittlerweile sind wir wesentlich erfahrener und routinierter in der Vorbereitung von Einsätzen geworden, dazu werden wir durch ein eingespieltes Team von freiwilligen Helfern fabelhaft unterstützt.

Von Anfang an hatten wir glücklicherweise starke und sehr großzügige Sponsoren, wie vor allem B. Braun Melsungen, Lufthansa und Emirates Airlines, die von dem Projekt so überzeugt wie wir waren und uns halfen, wo immer sie konnten, und auch heute noch an unserer Seite stehen.

Auch jetzt noch, nach so vielen Jahren, ist jeder Einsatz eine neue, aufregende und nie vollkommen vorhersehbare Erfahrung. Speziell in Bangladesch, wo wir auf schwimmenden Schiffskliniken, wie der einstigen Rainbow II operieren. Dieses berühmte Greenpeace-Segelschiff, das in ein Klinikschiff umgebaut wurde und nun Rongdhonu (bengalisch: Regenbogen) heißt, ist einer der Einsatzorte, die wir regelmäßig aufsuchen. Wegen der verheerenden, meist zweimal jährlichen Überflutungen in Bangladesch werden dort Krankenhäuser an Land öfter durch die Gewalten der Flut zerstört. Unsere Teams wohnen in der Schiffsklinik oder auf Hausbooten neben dem Klinikschiff, unter einfachsten Bedingungen. Bei manchen Einsätzen können sie keinen Fuß an Land setzen, was insofern schlimm ist, als die Klinikschiffe

During our first humanitarian missions we started out under difficult circumstances with an uncertain outcome. Among many other difficulties we had to use adventurous roads, flying long distances with local waterplanes to reach hospitals where we were invited to operate. The technical conditions we faced in the local hospitals differed immensely from what we were used to. We experienced extreme heat and nearly unbearable cold, working in wet scrubland for several days or on boat clinics which rocked due to strong winds.

Since we feel obliged that our donations go directly to our patients, the logistical part and management of the organisation (ranging from technical supplies to safety issues for our teams) consumed huge amounts of our personal time and resources especially at the beginning. Over the years we have become much more efficient and most of it is now routine, operating in a well-structured manner. We have had strong and generous supporters from the beginning, like B. Braun Melsungen, Lufthansa and Emirates Airlines which believed in the project as much as we did and helped wherever they could.

Today, every mission is a new, exciting and rarely a predictable experience, especially in Bangladesh where we operate on floating clinic boats like the former Rainbow Warrior II. The famous boat that has been converted into a floating hospital and now carries the name Rongdhonu (Bengalese for rainbow) is one of the sites we regularly visit. Due to disastrous flooding twice a year in Bangladesh, traditionally built hospitals are at danger and can be destroyed all too often. During our surgical camps our teams live on the boat clinics or on connected houseboats under rather cramped conditions. Sometimes we do not even set foot on the mainland during the entire stay which can be a challenge at times in the windy and rainy season when the boats rock.

WomenforWomen is designed to operate at the invitation of our local colleagues, local health organisations, hospitals or humanitarian NGOs. We avoid invading local medical institutions and always make sure that we cooperate with a local host. Since our teams consist of mainly women, who have families besides their professional life and humanitarian ambition, our planning structure is quite unique, taking all these aspects into account.

As the number of women in plastic surgery and its leading positions is constantly growing, we feel the urge to share our capacities in transcontinental solidarity. Not only to provide care to our traditionally mainly female patients at home but also to those female patients for whom plastic surgery treatment seems out of reach.

durch den Seegang bei schlechtem Wetter ständig mehr oder weniger stark schwanken.

WomenforWomen ist so konzipiert, dass wir nur auf Anforderung örtlicher Gesundheitsorganisationen, von Krankenhäusern oder anderen Hilfsorganisationen tätig werden. Auf keinen Fall wollen wir uns ungebeten lokalen medizinischen Strukturen aufdrängen, deshalb arbeiten wir immer mit einem Gastgeber vor Ort zusammen.

Für unsere fast ausschließlich weiblichen Teammitglieder, die neben ihrem Beruf und dem humanitären Engagement meist auch Familie haben, viele sogar mit kleinen Kindern, ist die Einsatzplanung, die diese Aspekte berücksichtigt, ziemlich einzigartig.

Die Anzahl der Frauen in der Plastischen Chirurgie wächst kontinuierlich – viele von ihnen sind jetzt in leitenden Positionen als Chefärztinnen, Präsidentinnen etc. Daher fühlen wir uns motiviert, den Frauen in den betroffenen Regionen mit unseren Fähigkeiten zu helfen und nicht nur unsere traditionell hauptsächlich weiblichen Patienten zu Hause zu versorgen, sondern auch solche Patientinnen, für die Plastische Chirurgie unerreichbar zu sein scheint. Neben der Rekonstruktion verlorener Funktion und des äußeren Erscheinungsbildes beabsichtigen wir, die Würde der betroffenen Frauen wiederherzustellen. Obwohl ihre körperliche Unversehrtheit und Schönheit nie vollständig wiederherstellbar sein kann, hören wir oft: »Please, doctor, make me beautiful again«, und dies geradezu mantrahaft wiederholt. Denn ihre Schönheit ist eben meist alles, was sie besessen haben.

In den letzten acht Jahren nach der Gründung von IPRAS *WomenforWomen* erfuhr unser Konzept weite Anerkennung in Indien, Pakistan, Bangladesch und Afrika. Bis jetzt konnten wir bei über 30 plastisch-chirurgischen Einsätzen mehr als 2000, hauptsächlich weibliche Patienten behandeln. Männliche Patienten werden natürlich genauso wenig ausgeschlossen wie männliche Chirurgen, dennoch bleibt der Grundgedanke unserer Einsätze erhalten, dass Frauen von Frauen operiert werden. Es zeigt sich, dass diese humanitäre Nische benötigt und gut angenommen wird.

Anfangs wurden wir manchmal als feministische Organisation fehlinterpretiert, was wir absolut nicht sind, doch mittlerweile wird das glücklicherweise weniger missverstanden.

Mehr als 200 Chirurginnen, Anästhesistinnen, Krankenschwestern und Krankengymnastinnen haben sich bis jetzt angemeldet, um bei *WomenforWomen* teilzunehmen. Wenn sie dann zu einem Einsatz fahren, lassen sie ihre Familien und ihren Arbeitsplatz im Krankenhaus zurück und spenden ihre Freizeit und Urlaubstage, um unter äußerst anstrengenden Umständen zu arbeiten.

Ich glaube für uns alle zu sprechen, wenn ich sage, dass auch wir es zutiefst erfüllend finden, unsere fachlichen Kenntnisse und Techniken diesen bedürftigen Patientinnen anzubieten und ihnen zeigen zu können, dass wir für sie da sind. Für uns ist es eine wunderbare Erfahrung, wenn unsere Patientinnen

Besides reconstructing lost functions and external appearances, we aim to restore these women's dignity, even if their physical integrity and beauty is lost for good. Since beauty and physical integrity is all they possess, we often hear this sentence: 'Please doctor make me beautiful again', repeated in a mantra-like manner.

In the past eight years, after the founding of IPRAS *WomenforWomen*, our concept has gained wide acceptance in India, Pakistan, Bangladesh and Africa. Until now we have been able to treat more than 2000 mainly female patients in more than 30 plastic surgery camps. Male patients are certainly not excluded, nor are male surgeons, but women treated by women surgeons remains the core of our mission. This niche is well conceived and needed. During the first few years we were accused of being a feminist organisation which we by no means are and, today, luckily enough, we seem better understood.

More than 200 female surgeons, anaesthetists, nurses and physiotherapists have registered to take part in IPRAS *WomenforWomen*. When they participate in a surgical camp they are leaving their families, often even with small children at home and their hospitals behind them, donating their free time and expertise to work under challenging conditions.

I speak for all of us when I claim that we find it extremely rewarding to offer our specialised surgical skills and show these women that we care for them. To us it is a wonderful experience that our patients gain hope for their future lives which adds sustainability to the work we offer.

Meanwhile the project is also very well accepted in the western world and fully self-funded through donations of money and material resources form Europe, USA and Canada. The majority of donations still come from within Europe, with the foundation's capital and legal supervision being located in Germany. All donations go straight to the surgical camps. We only spend a minimum amount, 1% at the most, for fiscal supervision and handling purposes.

When I return home after spending time in Bangladesh or the well-established sites of our camps, my thoughts are with my patients. I never forget the faces of the women we have treated. Despite all the hardships they endure I see their big smiles and remember them saying together with their children: 'Thank you, doctor. Now I will have a better life …'.

wieder mehr Hoffnung für ihr weiteres Leben schöpfen, worin letztlich auch die Nachhaltigkeit unserer Arbeit gegeben ist.

Mittlerweile wird das Projekt auch sehr gut in der westlichen Welt wahrgenommen, und nach den ersten zwei Einsätzen ist *WomenforWomen* vollständig selbstfinanziert durch Gelder und Sachspenden aus Europa, USA und Kanada. Die meisten Spenden kommen bis heute aus Europa, der Sitz der Stiftung und deren Verwaltung befindet sich in Deutschland. Alle Spenden werden direkt für die chirurgischen Einsätze verwendet. Nur etwa 5 % werden für die rechtliche, steuerliche und organisatorische Verwaltung eingesetzt.

Wenn ich aus Bangladesch oder einem anderen unserer fest etablierten Einsatzorte zurückkomme, gehen mir meine Patientinnen nicht aus dem Kopf. Die Gesichter der Frauen, die wir dort behandelt haben, werde ich nie vergessen. Und neben all dem Elend, das sie ertragen müssen, erinnere ich mich an ihr strahlendes Lächeln und wie sie uns, zusammen mit ihren Kindern, beim Abschied am Flussufer entlanglaufend noch ein Stück begleiten, winken und nachrufen: »Danke, Doktor, danke!«

Dieses Buch ist ein Geschenk des herausragenden und ungewöhnlich mitfühlenden Photokünstlers und engen Freundes Christopher Thomas an *WomenforWomen* und unsere Patientinnen. Zusammen mit seiner Kuratorin Ira Stehmann ist er ohne zu zögern in das Projekt eingetaucht und hat uns bei unterschiedlichen Einsätzen begleitet. Tapfer und mit großer Feinfühligkeit haben sie Patientinnen interviewt und befragt und in deren Umfeld und Alltag porträtiert.

Empfindsam bilden sie die entstellenden Verletzungen der Patientinnen ab und lassen doch ihre Würde und Stolz unangetastet. Dieses Buch ist nicht nur ein Bericht, es ist ein großes Kunstwerk, das den Finger in die Wunden unserer wunderbaren, aber doch manchmal so grausamen und kontroversen Welt legt.

The great and extraordinarily compassionate photographic artist and close friend Christopher Thomas has initiated and greatly donated to this book. Together with his curator, Ira Stehmann, he virtually jumped headfirst into the programme, joining us at several surgical camps. Bravely and in an extremely gentle and skilled manner Christopher and Ira interviewed and portrayed our patients in their surroundings and reality. In a sensitive manner, they leave these women's human dignity and pride untouched as they show their disfiguring injuries. This book is not merely a report; to me it is a great piece of art which puts the finger in the wounds of our wonderful but sometimes cruel and controversial world.

CHRISTOPHER THOMAS

BIOGRAFIE · BIOGRAPHY

Christopher Thomas, 1961 in München geboren, Absolvent der Bayerischen Staatslehranstalt für Fotografie, ist als Werbefotograf vielfach international ausgezeichnet worden. Seine Fotoreportagen erschienen in Magazinen wie *Geo*, *Süddeutsche Zeitung Magazin*, *Stern* und *Merian*.

Parallel dazu fotografierte Christopher Thomas seit den 1990er Jahren für Hilfsorganisationen wie Nepra e.V. und DAHW (Deutsche Lepra- und Tuberkulosehilfe e.V.) auf zahlreichen Reisen nach Nepal, Indien und Äthiopien. Für diese Fotografien wurden ihm der World Press Award, der Epica Award (beide 1995) und auf dem New York Festival die Goldmedaille (1995) zuteil.

Als Künstler ist Christopher Thomas mit seinen Städteporträts bekannt geworden. Den Auftakt bildete der Zyklus *Münchner Elegien*, der 2005 im Fotomuseum München gezeigt wurde (veröffentlicht bei Schirmer/Mosel, 2005), gefolgt von der Serie *New York Sleeps*, die zwischen 2001 und 2009 entstand. Die zugehörige Publikation *New York Sleeps. Photographs by Christopher Thomas* erschien 2009 im Prestel Verlag und wurde mit dem Deutschen Fotobuchpreis ausgezeichnet.

2010 fotografierte Christopher Thomas anlässlich der Oberammergauer Passionsspiele die Laienschauspieler während der Bühnenproben. Entstanden ist ein Zyklus aus 56 altmeisterlich anmutenden Porträts, die den Geist des Spiels atmen. Die zugehörige Publikation *Christopher Thomas. Passion, Photographien der Passionsspiele Oberammergau 2010* erschien im Prestel Verlag. Diverse Auszeichnungen wie die Silbermedaille des Art Directors Club für Deutschland (2011) und der German Design Award (2013) wurden Christopher Thomas für diesen Zyklus zuteil. Eine umfangreiche Auswahl aus der Serie der Passionsfotografien zeigte das Bayerische Nationalmuseum in München von Oktober 2011 bis April 2012 in seinem grandiosen Kirchensaal.

Im Jahr 2012 erschienen: *Venedig. Die Unsichtbare* und *Venice in Solitude* (beide bei Prestel). *Paris im Licht* und *Paris. City of Light* erschienen 2014 (Prestel). Zuletzt publiziert: *Engadin* (2015).

Die Arbeiten von Christopher Thomas werden weltweit von renommierten Fotogalerien in Ausstellungen und auf Messen gezeigt und befinden sich in wichtigen privaten und institutionellen Sammlungen wie der François Pinault Collection, der Sir Elton John Photography Collection und der Kunstsammlung des Deutschen Bundestags.

Christopher Thomas, born in 1961 in Munich and a graduate from the Bayerische Staatslehranstalt für Fotografie, has received a number of international awards as a commercial photographer. His photo reportages have appeared in magazines such as *Geo*, *Süddeutsche Zeitung Magazin*, *Stern* and *Merian*.

In the 1990s Christopher Thomas also worked as a photographer for aid organisations such as Nepra e.V. and DAHW (German leprosy and tuberculosis aid organisation) on numerous trips to Nepal, India and Ethiopia for which he received the World Press Award and the Epica Award (both 1995) and the Gold Medal (1995) at the New York Festival.

As an artist, Christopher Thomas has established a reputation above all through his city portraits. The first of his cityscapes was *Munich Elegies* which was exhibited at the Museum of Photography in Munich in 2005 (published by Schirmer/Mosel, 2005). This was followed by the series *New York Sleeps* that he worked on between 2001 and 2009. The companion publication, *New York Sleeps. Photographs by Christopher Thomas,* was published by Prestel in 2009 (6th edition 2012) and was awarded the Deutscher Fotobuchpreis (German Photobook Prize).

In 2010 Christopher Thomas photographed amateur actors during rehearsals for the Passion Play in Oberammergau. The result was a cycle of 56 portraits reminiscent of paintings by Old Masters that exude the spirit of the Play. The volume *Christopher Thomas. Passion. Photographs of the Passion Play, Oberammergau* was published by Prestel at the same time. Christopher Thomas received several awards for this cycle such as the Silver Medal of the Art Directors Club of Germany (2011) and the German Design Award (2013). The Bavarian National Museum in Munich exhibited a wide selection of photos from this cycle from October 2011 to April 2012 in its magnificent Gothic Hall.

The following two volumes of photographs were also published by Prestel Verlag: *Venice in Solitude* (2012) and *Paris. City of Light* (2014). Most recently *Engadin* (2015) was presented in conjunction with two exhibitions in St. Moritz.

Works by Christopher Thomas can be seen around the world in well-known photography galleries and at trade fairs, as well as in major private and institutional collections such as the Francois Pinault Collection, the Sir Elton John Photography Collection and the German Bundestag Art Collection.

DANK · ACKNOWLEDGMENTS

Dr. Constance Neuhann-Lorenz

Prof. h.c. Dr. Marita Eisenmann-Klein

I.D. Dr. Sarah Erbprinzessin von Isenburg

Dr. Inge Haselsteiner

Ira Stehmann

Florian Frohnholzer

Blanca Bernheimer

Tobias Winkler

Tom and Jutta Stein

Tilman von Mengershausen

Gabriele Ebbecke

Christopher Wynne

Dr. Lothar Strobach

Denise M. Lyons

Heiko Schönhoff

Tracy Huddleson

Hilla Moll

Moritz Borman

Harald Longo

Martin Kompatscher

Christian Rieker

Curt Holtz

Pia Werner

I.K.u.K.H. Erzherzogin Katharina von Habsburg-Lothringen

Nina Hugendubel

Josef Schaaf

Runa Khan

Dr. Chanjiv Singh

Firma B. Braun Melsungen

Eine großzügige Spenderin, die nicht
genannt werden möchte.
A generous donor who does not
want to be named.

© Prestel Verlag
München · London · New York, 2016

© für die abgebildeten Werke bei ·
for all photographs by Christopher Thomas, 2016

© für die Texte bei · for the texts by
Dr. Inge Haselsteiner
Dr. Constance Neuhann-Lorenz
Ira Stehmann & Christopher Thomas, 2016

Umschlagabbildung · Cover photograph: Neha
Frontispiz · Frontispiece: Neha and her
Grandmother

Prestel Verlag · A member of Verlagsgruppe
Random House GmbH, Neumarkter Straße 28,
81673, München

Prestel Publishing Ltd.
14-17 Wells Street
London W1T 3PD

Prestel Publishing
900 Broadway, Suite 603
New York, NY 10003

www.prestel.com

Die Deutsche Nationalbibliothek verzeichnet
diese Publikation in der Deutschen Nationalbibliografie; detaillierte bibliografische Daten
sind im Internet über www.dnb.de abrufbar.

Library of Congress Control Number is available;
British Library Cataloguing-in-Publication Data:
a catalogue record for this book is available from
the British Library; Deutsche Nationalbibliothek
holds a record of this publication in the Deutsche
Nationalbibliografie; detailed bibliographical
data can be found under: http://dnb.ddb.de

Deutsches Lektorat und Korrektorat ·
German copyediting and proofreading:
Gabriele Ebbecke, München

Übersetzungen ins Englische und
englisches Korrektorat · translations and
proofreading into English:
Christopher Wynne, Bad Tölz

Gestaltung und Satz · Layout and
typesetting: Florian Frohnholzer,
Sofarobotnik, Augsburg & München

Bildretusche · Image retouching:
Tom Stein, Tobias Winkler

Druck und Bindung · Printing and binding:
Longo, Bozen, Italien · Italy

Mehr Informationen zu *WomenforWomen*
finden Sie unter · More information about
WomenforWomen is available at:
www.womenforwomen-ipras.org

Das Spendenkonto von *WomenforWomen*
ist · Donations can be made to:
WomenforWomen
IBAN 8170 0303 0001 3841 8100
BIC CHDBDEHH
Bankhaus Donner und Reuschel

Christopher Thomas wird weltweit ver-
treten von · is represented worldwide by:
Ira Stehmann Fine Arts
ira@irastehmann.com
www.irastehmann.com

Verlagsgruppe Random House FSC®-N001967
The FSC®-certified paper *Garda Pat Kiara* is
produced by mill Cartiere del Garda S.p.A., Italy.

ISBN 978-3-7913-8349-1